CW00407093

ABERTEIFI

Y DRE A'R WLAD

Ceri Wyn Jones
lluniau Richard Outram

Cyflwynedig i

bobol Aberteifi
ac er cof am Martin Radley

ABERTEIFI

Y DRE A'R WLAD

Ceri Wyn Jones
lluniau Richard Outram

Argraffiad cyntaf: 2020

Dylunio: Eleri Owen

Rhif Llyfr Safonol Rhyngwladol:
978-1-84527-746-8

Cyhoeddwyd gan
Gwasg Carreg Gwalch,
12 Iard yr Orsaf, Llanrwst,
Dyffryn Conwy, Cymru LL26 0EH.

Ffôn: 01492 642031
e-bost: llyfrau@carreg-gwalch.cymru
lle ar y we: www.carreg-gwalch.cymru

Cyhoeddwyd gyda chymorth Cyngor Llyfrau Cymru.

Cynnwys

EDICAL HALL
ADD MEDDYGOL
well
MARCHNAD
Coffee#1

Cyflwyniad

Ysgrifennwyd y gyfrol hon yn ystod cyfnod clo Covid-19. Ac mae'n cael ei chyhoeddi dan gysgod y bygythiad o gyfnod tebyg eto.

Er gwaethaf ei greulondeb mawr, bu'n gyfnod o ddod at ein coed, medden nhw; yn gyfle i ailystyried blaenoriaethau, i ddeall pwy a beth sy'n bwysig i ni. I nifer hefyd, bu'n gyfle i werthfawrogi'r hyn sydd gennym ar garreg y drws.

Bu hyn, am sawl rheswm, yn arbennig o wir ym mhrofiad trigolion Ceredigion. Ac wedi treulio oes gyfan, namyn wyth mlynedd a thair wythnos, yn byw yn y sir honno, rwy'n mynd i fentro dweud 'mod i'n un o'r rheini erbyn hyn. Os yw 'Welwyn Garden City' yn anharddu fy nhystysgrif geni hyd at y dydd heddiw, rwy wedi dod i dderbyn taw darn o bapur yn unig yw hwnnw. Os taw plentyndod Pen-y-bryn a gefais, gardd gefn 17, y Rhos, Aberteifi yw fy atgof cynharaf. A phan symudodd y teulu 'nôl dros y bont i Aberteifi o ogledd Sir Benfro ym 1980, glasoed un o fois y dre oedd yn disgwyl amdanaf.

Es i'r ysgol yn y dre. Es i'r ysgol Sul yn y dre. Dysgais yrru yn y dre. Cenais yng nghorau'r dre. Chwaraeais rygbi i'r dre. Bûm yn ei gor-wneud hi yn y dre. Dysgais gynganeddu yn y dre. Gweithiais gerddi i bobol y dre a'i milltir sgwâr – ac i'w chymhlethdod diwylliannol. Ac erbyn hyn, rwy'n magu teulu yn y dre.

Ond, fel yn fy achos i, mae ôl y wlad (yn ei dwy ystyr) yn drwm ar y dre ac ar y gyfrol hon. Er bod waliau castell y Norman-Sais yn fwy amlwg nag erioed, caeau a chloddiau godre Ceredigion a gogledd Sir Benfro, ynghyd â glannau afon Teifi, yw'r olygfa o'r waliau hynny o hyd. A boed y waliau'n hoffi hynny ai peidio, mae neuadd fawr yr Arglwydd Rhys hefyd o dan eu traed, yn disgwyl caib a rhaw tyner yr archeolegwyr.

Cyfres o ysgrifau a cherddi yw'r gyfrol yn ymateb i lefydd yn y dre a'r cyffiniau y mae eu presenoldeb a'u hanesion wedi hen ddod yn rhan o'm tirwedd bersonol i. Nid cyflwyniad i ugain o fannau o bwys y dylai pawb ymweld â nhw yn ddiymdroi yw hwn, felly, ac nid llyfr hanes, chwaith. Rwy'n ddyledus, serch hynny, i waith haneswyr lleol fel y diweddar Donald Davies (ail gyfrol *Those Were the Days*), William Howells (aberteifidrwyrcanrifoedd.wordpress.com), yn enwedig am iddo gynnwys llun o dystysgrif geni Telynog ar ei wefan, ac i Glen Johnson (glen-johnson.co.uk). Bu archif Papurau Newydd Cymru Arlein (Llyfrgell Genedlaethol Cymru) yn gymorth ac yn agoriad llygad hefyd.

Carwn ddiolch i Myrddin ap Dafydd a Gwasg Carreg Gwalch am y gwahoddiad i lunio'r pytiau hyn, ac i Nia Roberts am lywio'r gyfrol drwy'r wasg. Diolch hefyd i Eleri Owen am ei gwaith dylunio ac, wrth gwrs, i Richard Outram am ei ffotograffau. Diolch yr un modd i'r Eisteddfod Genedlaethol am gomisiynu'r gerdd sy'n cloi'r gyfrol.

Yr unig un o bytiau'r gyfrol hon a weithiwyd cyn y cyfnod clo yw'r gerdd 'Mynd ac Aros' (tudalen 72). Ysgrifennwyd honno yn ystod cyfnod tangnefeddus trafodaethau Brexit.

Ceri Wyn Jones

Dechreuais dynnu lluniau o Aberteifi ar gyfer y llyfr hwn ar fore braf, oer o Dachwedd a gorffen naw mis yn ddiweddarach yng ngwres prynhawn hyfryd o Orffennaf. Bu i'r pedwar mis pan stopiodd y byd o'n cwmpas greu, i mi, ryw newid a rhaniad yn y ffordd ro'n i'n edrych ar Aberteifi. Ro'n i'n benderfynol y dylai'r lluniau dynnais i ar ôl y clo fod yn llawn golau a bywyd i adlewyrchu stori barhaol ac enaid y dref.

Arweiniodd Ceri fi drwy Aberteifi gyda'i eiriau yn ogystal ag yn y cnawd, gan gyfoethogi a rhoi cyd-destun i bopeth a welwn. Mae fy mharch tuag ato a'm diolch iddo yn anfesuradwy, fel y mae at bawb y bu i mi eu cyfarfod yn y dref yn ystod yr amser a dreuliais yno. Gyda phob ymweliad roeddwn yn dadorchuddio mwy o ryfeddodau!

Er mai un o ben gogleddol yr A487 ydw i, mae Aberteifi yn chwarae rhan bwysig yn fy mywyd gan mai un o Lynarthen yw Ron, tad Mererid, fy ngwraig. I Nia Roberts, Myrddin ap Dafydd a Charreg Gwalch, diolch i chi am eich cefnogaeth gyson a'ch arweiniad drwy brosiect a oedd, yn anorfod, yn un llawer hirach na'r disgwyl. Hefyd i Eleri Owen am dy waith godidog a ddaeth â'r llyfr at ei gilydd.

Mae'r lluniau yn y llyfr hwn, a llawer o 'ngwaith arall, wedi'i ddylanwadu gan fy edmygedd o waith Siân Bowi. Mae ei ffotograffiaeth hi wedi bod yn ysbrydoliaeth i mi ers blynyddoedd maith. Hoffwn feddwl fod yr hogyn hwn o Fangor wedi gwneud cyfiawnder â'ch milltir sgwâr!

Dwi'n gobeithio bod fy nghyffro wrth i mi ddarganfod Aberteifi yn cael ei gyfleu yn fy lluniau. Tref a ddaeth yn fath o ail gartref i mi mewn cyfnod unigryw iawn ...

Richard Outram

Y Ffordd Osgoi

Rhaid croesi'r *bypass* i gyrraedd y ffordd osgoi. Dyna'r drefn y gwanwyn hwn.

Ac nid yw croesi'r *bypass* yn fawr o gamp y gwanwyn hwn. Prin fod rhaid edrych i'r chwith nac i'r dde unwaith, heb sôn am ddwywaith, er bod dwy lôn i'w croesi.

Mae'r naill lôn yn mynd i'r gogledd, drwy'r goleuadau traffig peryg-bywyd wrth ymyl arwydd Tesco, ac ymlaen drwy Ben-parc a Thre-main a Blaenannerch yr holl ffordd i Aberystwyth.

Mae'r llall yn mynd i'r de, mor bell â rowndabowt yr hen ysbyty, rowndabowt sy'n cynnig ffordd i'r chwith i Lechryd, Cenarth a Chastell Newydd Emlyn; ffordd ymlaen wedyn i Sir Benfro (boed ar yr hewl drwy Ben-y-bryn i Ddinbych-y-pysgod neu'r hewl drwy Lantwd i Abergwaun); a ffordd i'r dde i'r dre ei hun.

Teimlad rhyfedd yw oedi ar ganol hewl na fyddech, fel rheol, yn mentro blaen bys bach eich troed arni, gan mor filain yw sgrech y traffig arni bob awr o'r dydd. Ond gan fod modd oedi arni y gwanwyn hwn, dyna wnawn, a phrofi pwl o foddhad euog.

Wrth adeiladu'r *bypass* yn wreiddiol, ar ddiwedd y 1980au, fe holltwyd un o ffyrdd y dre yn ddwy, sef Feidr Henffordd a redai o Heol Aberystwyth hyd at fferm Rhyd-y-fuwch. Ac mae rhan ddwyreiniol y ffordd honno bellach yn 'No Through Road' – oni bai eich bod chi'n gerddwyr, ac yn croesi'r *bypass* er

mwyn mynd am dro ar hyd ei llonyddwch gwledig hanner milltir o hyd. Mae wyneb hewl Rhyd-y-fuwch wedi dirywio'n enbyd ers dyfodiad y *bypass*, a phrin yw defnydd ceir ohoni, oni bai eich bod chi'n bobol Argoed, Neuadd Wen, Courthope neu Trecift – neu'n bwy bynnag sy'n byw yn nhŷ Doctor Rees erbyn hyn. Nid pawb sy'n gwybod amdani, chwaith. Gallwn ddianc yma, felly, am lond ein gwynt o ymarfer corff ac awyr iach, gan wybod y bydd modd osgoi pobol eraill, rhag i ni orfod anadlu eu hanadl nhw. Oherwydd, y gwanwyn hwn, does dim sy'n beryclach i'n teulu bach ni na phobol eraill.

'Peidiwch â chyffwrdd â'r iet, bois.'
'Croeswch i'r ochor draw, bois.'
'Cadwch eich pellter, bois.'

Ond ar ymyl hewl Rhyd-y-fuwch, nid oes modd osgoi cwmni diogel yr ymwelwyr cynhenid, ac ar ein tro nosweithiol heibio i'r cloddiau, trown enwau'r rheini'n fantra:

Clychau'r gog, briallu'r feidr,
llygaid Ebrill, blodau'r neidr,
botwm crys a llysiau'r gerwyn:
blodau byw ac iach y gwanwyn.

Banc y Warin

Pwyll pia hi. Na, yn llythrennol. Pwyll Pendefig Dyfed.

Ar lafar gwlad, Banc y Warin yw enw'r bryncyn hwn sy'n codi fel hwrlyn ar dalcen y tir sy'n rhedeg o Ben-parc lawr i Langoedmor. Ond os yw'r enw i'w weld hefyd ar fferm y Warren gerllaw, nid dyma fu ei enw erioed, chwaith. Mae'r hen enw yn fyw ac yn iach ar fferm arall gyfagos, sef Crugmor. Neu'n hytrach, chwedl y mapiau swyddogol, Crug Mawr.

Er nad hwn yw'r unig grug ar y stribed dywodlyd o dir sydd hefyd yn cynnwys chwarel Cnwc Saeson – mae sôn hefyd am Grug Llwyn Llwyd a Chrug Efa – Crug Mawr yw'r mwyaf a'i gopa 146 o fetrau yn uwch na'r môr. A, diolch i fuddugoliaeth Gruffudd ap Rhys ac Owain Gwynedd (a sawl un arall, mae'n siŵr) dros y Saeson yn 1136, Crug Mawr yw'r enwocaf. Ond, nid dyma'r unig hawl i fawl sydd gan Fanc y Warin.

Ewch am dro i ben y bryncyn. Ac fe welwch, fel y gwelodd Pwyll Pendefig Dyfed o'r fan honno, ryfeddod. Mae'n deg eich rhybuddio, serch hynny, y gallech chi hefyd brofi yno 'naill ai ddolur neu archollion', chwedl y chwedl honno o'r Mabinogi.

Beth bynnag, rhyfeddod a welodd Pwyll, sef Rhiannon ar gefn march gwyn na fedrai'r un ceffyl arall ei oddiweddyd. Ac, i dorri'r stori yn ei blas, fe ddaeth Pwyll a Rhiannon yn eitem.

Ond beth, meddech chi, oedd enw'r bryncyn hwn a wyddai ystyr hud? Wel, Gorsedd Arberth.

'Ond mae Arberth 22.7 milltir dda i ffwrdd o Aberteifi,' meddech chi. 'Ac mae hi hyd yn oed yn bellach na hynny ar gefn ceffyl. Yn y fan honno, ar y ffin rhwng Sir Benfro a Sir Gâr, y safai llys Pwyll. A pheidiwch chi, da chi, fel yr hen T. Llew Jones 'na a'i siort, ddweud yn wahanol.'

Mae'n bosib na chlywsoch am nant Arberth, felly. Mae honno'n tarddu rhwng Blaenannerch ac Aberporth ac yn troelli'n ddi-ffws heibio i Nant-y-llan, Trefwtial, Blaenpistyll, Tŷ Newydd, Trewindsor, Wernynad, Llwyngrawys, Cawrence, Penrallt a Glanolmarch cyn cyrraedd afon Teifi yn Llechryd. Yn troelli, felly, dan drwyn y bryncyn hwnnw oedd hefyd yn orsedd i Bwyll Pendefig Dyfed: Gorsedd Arberth. Crug Mawr. Banc y Warin.

Parc y Reiffl

Y drewdod oedd y peth. Oedd, roedd y siom a'r cywilydd yn fawr wrth fethu'r dacl. Ond, ar eich trwyn yn y mŵt, roedd gwaeth na hyn. Dyna'r adeg y byddech chi'n clywed y drewdod, mor bêr ag afon Mwldan gynt.

Dim ond wrth chwarae gêm yn y glaw y deuai'r oglau i'r amlwg, pan fyddai'r cae rygbi'n debycach i'r bwlch lle bu'r da yn stablan. A byddai'r hen fois yn hoff o'ch atgoffa chi wedyn fod y cae yn sefyll ar safle hen domen sbwriel.

Rhan o dir comin y dre oedd hwn yn wreiddiol, serch hynny, ac yn yr haf, gosodid ffensys o'i amgylch er mwyn i ddefaid ei bori. Ond, ym 1854, neilltuodd Cyngor y Dref bedair erw ohono ar gyfer *recreation*. Fe welon nhw'n bell: erbyn heddiw, mae'n gartre i bêl-droed, rygbi, bowls a thenis, heb sôn am barc chwarae i'r plant. Ac fe fu criced a hoci yma cyn hyn hefyd.

Parc y Reiffl yw'r hen enw arno. (Fan hyn y bu Corfflu Gwirfoddolwyr Reiffl Aberteifi yn ymarfer am gyfnod, mae'n debyg.) Newidiwyd ei enw'n swyddogol ym 1938 i King George V Playing Field (yn un o 471 o gaeau o'r un enw dros wledydd Prydain a dderbyniodd grantiau ar y pryd i ddatblygu cyfleusterau hamdden er cof am y diweddar frenin). Ond mae'r hen enw'n cael ei arddel gan rai o hyd.

Nid oes blynyddoedd mawr ers y rhedai rhigol ddofn a llydan ar draws y cae pêl-droed: llwybr troed lletraws ac answyddogol a grëwyd gan esgidiau a throlïau trigolion Maesglas ar eu ffordd i'r dre ac yn ôl.

Byddai rhai ohonyn nhw hyd yn oed yn croesi'r cae yn ystod gemau cartre Cardigan Town. Gyda'r neges wythnosol i'w hel, pa wahaniaeth fod y Piod gôl ar y blaen gydag eiliadau i fynd a Llandoch yn pwyso'n drwm? Dyna roi byd y campau yn ei le.

Mae gan bob un blewyn o wair y parc hwn fil a mwy o straeon i'w hadrodd, am ddramâu yr ennill a'r colli, am yr arwyr a'r dihirod a sgoriodd gôl neu gais, neu a fethodd dacl fan hyn. Ac wrth gwrs bod y pethau hynny yn bopeth ar y pryd. Ond braint y siopwyr hynny a groesai'r cae ar ganol gêm oedd gwybod y byddai'r pethau hynny, erbyn heddiw, yn ddim.

Caeau Chwarae'r Ysgol Uwchradd

Yr ardd gefen fwyaf yn Aberteifi. Dyna, yn ôl fy nhad, oedd caeau chwarae'r ysgol uwchradd pan symudon ni 'nôl i'r dre o Ben-y-bryn ym 1980. Herc, cam a naid dros y clawdd y tu ôl i'n cartre newydd ar glos Llyn-y-felin, roedd y Strade, Sain Helen ac Anfield yn un.

Er bod eu gwersi a'u gemau swyddogol yn uchafbwyntiau'r wythnos ysgol i lawer ohonom; er bod temtasiynau'r *dingle* yn fawr, a'r berllan yn berffaith ar gyfer drygioni amser cinio; y caeau hyn oedd hefyd ganolbwynt ein bywydau hamdden y tu hwnt i oriau a threfn yr ysgol.

Fan hyn y byddwn i a 'mrawd yn chwarae pêl a herio'n gilydd bob cyfle, ac ni waeth pa mor galed y gwnawn ei gwrso, ni allwn gau'r deunaw mis o fwlch oedd rhyngon ni'n dau. Fan hyn y dôi ato' ni griw o'n cyfoedion, bois y dre, i gynnal gyda'r hwyr y gemau hynny na allai hyd yn oed machlud haul ganu eu chwib olaf.

> Fan hyn bu Huw Gacs, Barry Bulb, Buck a Geraint;
> Rob Jenkins, Keith Roberts, Stu Nob a Mark Ham;
> fan hyn bu'r Emanuels, Chalky a Colin
> a Martin Hughes, Aled Frog, Potsi a Jam.

Fin nos fan hyn. Uwch Llyn-y-felin. Fois, nid anghofiwn hyn.

Parc y Ffair a Chapel Mair

Am 364 o ddiwrnodau'r flwyddyn, blwch hirsgwar o fylchau hirsgwar yw hwn, yn ufudd i drefn a defod. Cyrraedd. Parcio. Talu. Mynd.

Am un diwrnod bob blwyddyn, serch hynny, mae'n chwalu'r drefn. Mae'n dwyn goleuni i'r tywyllwch ac yn cynnig cip disglair a dansierus ar fywyd arall.

Tachwedd y degfed yw dyddiad Ffair Aberteifi ers yn agos i ddwy ganrif, oni bai bod y degfed yn digwydd disgyn ar ddydd Sul. Ffair cyflogi'r gweision oedd hi'n wreiddiol. Diwrnod mawr. Noson fawr.

Ffair wahanol oedd ein ffair ni'n blant. Roedd yr ysgol gynradd yn cau am y dydd, a châi'r Cownti Sgŵl y prynhawn yn rhydd. Ond ffair y nos yw hi erbyn hyn. Y strydoedd yn stondinau, yn gymanfa o rialtwch a fflachiadau neon. Yr awyr mor ddu ag yw'r candi-fflos yn binc. Gwynt oel a winwns ymhobman. Seiren y *bumpers* yn hudo. Ac ysbrydion y trên sgrech wedi hen dreiglo meini'r beddau.

Drannoeth, mae'n dychwelyd i drefn. Cyrraedd. Parcio. Talu. Mynd.

L
CP62 ATU
MC65 BWF

Ysbrydion yr Ysbyty

Ysbyty ar lan afon, drws nesa i eglwys. Ac elyrch, fel rhyw angylion acwatig, yn cadw golwg ar y cwbwl. Wrth ddod i'r byd neu wrth ffarwelio â'r byd, pwy ishe gwell?

Mae gan Aberteifi erbyn hyn Ganolfan Gofal Integredig ar dir hen fferm y Bathouse. Yn glinigol o wyn, gydag ambell linell o lwyd, leim ac oren, mae eisoes yn un o wynebau cyfarwydd y dre. Ond beth am yr hen ysbyty? Wel, mae hwnnw'n un o gymeriadau mawr y dre.

Yn ôl un o'r nyrsys a weithiai yno – un a weiniodd ar gleifion yr uned geriatrig, ond un hefyd a roddodd enedigaeth i'w mab ar ward y mamau – roedd gan yr ysbyty fwci-bo. Hen fynach, mae'n debyg. A pha ryfedd, oherwydd safle priordy oedd hon yn yr oesoedd canol.

Ond mae ysbrydion llai hynafol yn crwydro'r coridorau, glei. O bosib ysbrydion tŷ crand y Priory, y tŷ a ddyluniwyd ym 1789 gan John Nash, yn gartre i gyfres o denantiaid gwell na'i gilydd. Dyma'r tŷ a fyddai'n troi, ym 1922, yn Ysbyty Coffa Aberteifi.

Pwy ŵyr na chlywir yno glincian cadwyni Richard David Jenkins, Cilbronnau, a fu farw yn ystod ei bedwerydd tymor ar ddeg fel Maer y Dref? Neu gamau cyntaf ei fab ifanca, Lawrence Hugh Jenkins, a aned yma dridiau cyn dydd Nadolig 1857? Y Lawrence bach a ddeuai'n Brif Ustus Uchel Lysoedd Bombay a Chalcutta ac a draddododd ym 1905 anerchiad yng nghyfarfod coffa J. N. Tata, sylfaenydd y cwmni diwydiannol byd-enwog.

Mae'n siŵr taw'r ysbryd mwya llafar fyddai Emily M. Pritchard (Olwen Powys) fu'n byw yma rhwng 1897 a 1914. Ei llyfr hi am hanes y priordy sy'n dal i'n hatgoffa am Sant Mathaiarn a sefydlodd achos yn Aberteifi yn y bumed ganrif, ymhell cyn bod sôn am fynachod Sant Bened a'u priordy. Ei frawd-yng-nghyfraith oedd Ceredig (a roes ei enw i'r sir), ac ef oedd tad-cu y Sant Dogfael hwnnw a sefydlodd achos yn Llandudoch, ymhell cyn bod sôn am fynachod Tiron yno.

Mae sôn am 'ddatblygu' yr hen ysbyty. Ble'r aiff ei ysbrydion wedyn?

Yr Angel Gabriel

GABS

Cloc y dre'n taro un o'r gloch. Angel yn gwylio drosom, cylch ohonom, a phwysau plu'r eira'n drwm amdanom. A ninnau'n gwylio. Gwylio dau. Dau yn dyrnu ei gilydd. Yn clatsio. Yn crasu. Y naill yn gochyn. Y llall o bryd tywyll. A'r naill mor ddi-ildio â'r llall.

Wrth i'r eira wreichioni yn llifolau'r lleuad a lampau'r stryd, mae rhai'n sgrechen eu hanogaeth. Rhai'n chwerthin. Rhai'n feddw fud. A chwaer fach un o'r ddau, yn un ar bymtheg oed, yn erfyn yn ei dagrau, erfyn ar y ddau i beidio.

Yr un hen stori. Dyn dŵad a brodor? Hambôn a drygi? Gwdi a badi?

Na, dau grwt ffarm. Dau gefnder. Dau gyfaill.

ANGEL HOTEL

Y Mart a'r Meirch

134
136
137
138
139
140

Dydd Llun oedd diwrnod Mart Aberteifi. Unwaith yr wythnos, felly, ers erioed a than fis Medi 2019, doedd dim modd anwybyddu'r byd amaeth, ei ddeall neu beidio. Er taw hewl yr orsaf, ar ochor Sir Benfro o'r bont, oedd cartre'r mart, roedd ei bresenoldeb yn llenwi'r holl dre.

Pan oedd y mart yn ei anterth, a chyn dyfodiad y *bypass*, byddai'r traffig trwm yn datgan ei bod hi'n ddydd Llun. Byddai gan y dre ei drac sain unigryw: llafarganu'r arwerthwr yn arafu a chyflymu i guriad y bidio, yn annealladwy i bawb heblaw'r gwybodusion cap stabal; a murmur sgwrs a chlecs yr wythnos, fel brefu'r stoc, yn cael eu cario ar uchelseinydd yr awel. Yn yr Eagle a'r Castle gerllaw, byddai bri ar daro bargeinion llai cyhoeddus hefyd, gan rai'n eu crysau gwaith a rhai'n eu crysau criws, yn barod i fentro dros y bont i'r Grosvenor a'r Saddlers ac ymhellach.

Ond, fel yn hanes brwydrau'r Cymry a'r Normaniaid gynt, go brin y gwnelen nhw feddiannu'r dre yn grwn ar ddydd Llun. Byddai'n rhaid aros tan y dydd Sadwrn cyntaf ar ôl y dydd Gwener olaf ym mis Ebrill i wneud hynny. Dydd Sadwrn Barlys. Erbyn hynny byddai holl hadau'r cynhaeaf wedi eu hau, gan gynnwys, yn draddodiadol, barlys, yr ola a'r pwysica ohonyn nhw.

Diwrnod gorymdaith y meirch yw hwn, a hynny ers canol y bedwaredd ganrif ar bymtheg. Cyfle i gefn gwlad ei swanco hi ar hyd strydoedd y dre i gymeradwyaeth y dyrfa fawr, yn gopi perffaith o luniau Aneurin Jones. Slawer dydd roedd hwn hefyd yn ddiwrnod o wyliau i'r gweision fferm, ac ymweliad cyntaf rhai ohonyn nhw â'r dre ers ffair gyflogi mis Tachwedd. Ac mae naws diwrnod o wyliau yn perthyn i'r achlysur o hyd.

Nid stalwyni'n unig sy'n hawlio'r hewlydd erbyn hyn, ond mae'r parêd yn dal i gynnig cip ar hen fyd ac yn dwyn y diwydiant a'r diwylliant amaethyddol yn ôl i sylw'r cyhoedd, pethau sy'n prysur fynd yn fwy o ddirgelwch i fois y dre – ac i fois y wlad.

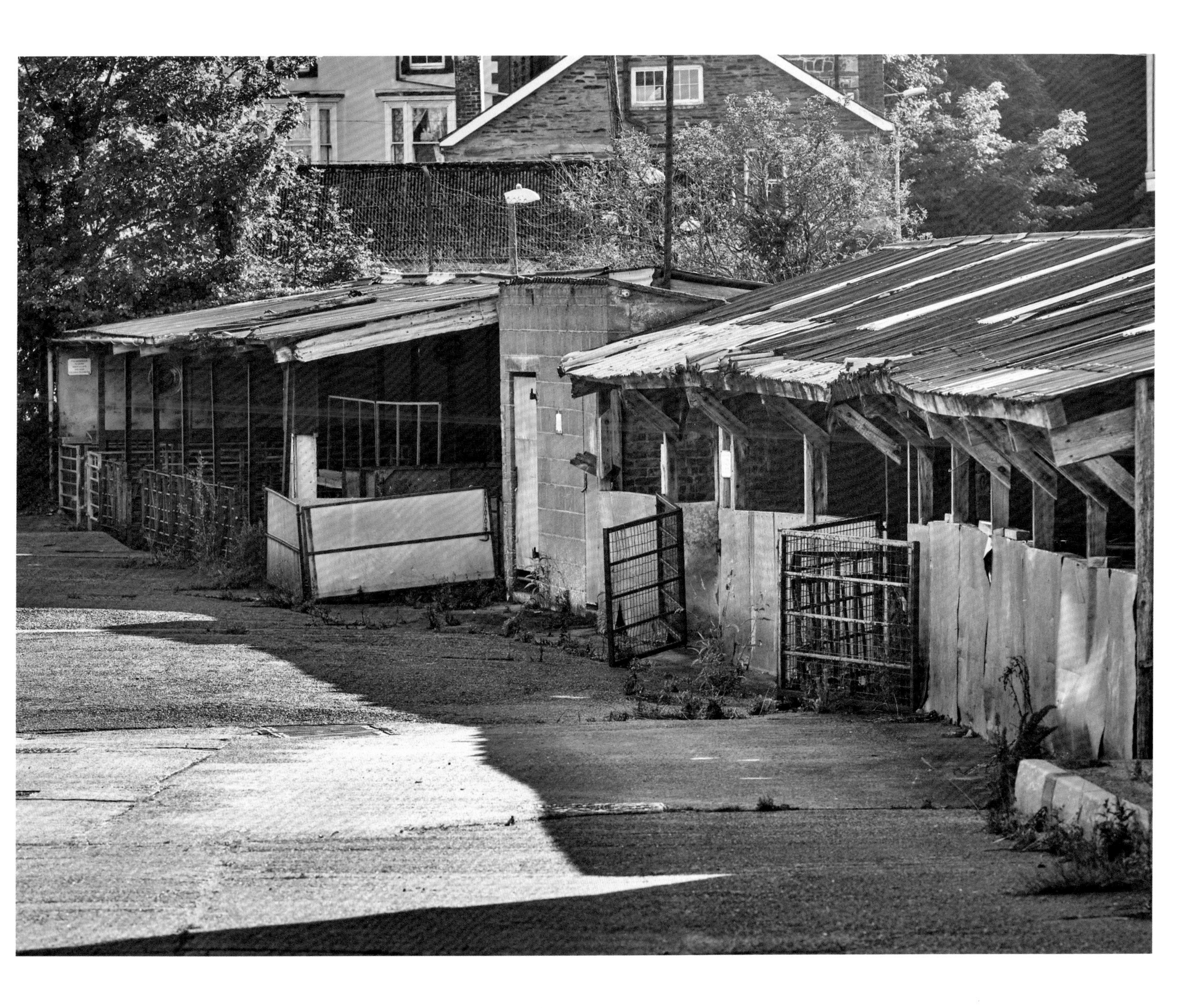

SW20-MX
190
56
SW20-245
190
59
172 KG
181KG
SW20-329
190
32
187KG
SW20-220
190
7
172KG

Iaith y Dwrgi

Mae gan Efrog Newydd y Statue of Liberty. Mae gan Gopenhagen y fôr-forwyn fach. Ac roedd gan Rhodes ddelw enfawr o dduw'r haul. Ond pwy neu beth sy'n croesawu'r teithiwr talog i Aberteifi?

Dwrgi. Ie, dwrgi. (Na, nid mîrcat yw e, er bod yr ymgnawdoliad yswiriant o'r mongŵs hwnnw'n dipyn mwy cyfarwydd i ni erbyn hyn na'r creadur bach blewog swil sydd â'i gartre ar dir sych ond sydd byth a hefyd yn hel ei damaid yn y dŵr.)

Fe'i gweithiwyd gan Geoffrey Powell ar gais Ymddiriedolaeth Bywyd Gwyllt Dyfed, ac fe'i cyflwynwyd i bobol Aberteifi gan y naturiaethwr enwog David Bellamy ym 1988. Ers hynny, mae'r dwrgi pres wedi hen ennill ei blwyf fel un o olygfeydd mwya annwyl y dre. Mae'n cael ei addurno a'i arwisgo o bryd i'w gilydd i gyd-fynd ag achlysuron o bwys: gwisgodd grysau pêl droed a rygbi Cymru, siwmper felen Geraint Thomas, ac yn ystod cyfnod Covid-19, bu lliwiau'r enfys yn dynn amdano.

Yn hanesyddol, datblygodd tref a phorthladd Aberteifi oherwydd i ddyn, fel y dwrgi, ddeall y berthynas rhwng yr afon a'i glannau. Ond, 'nôl ym 1988, roedd dwrgwn afon Teifi yn prysur ddiflannu a rhaid oedd wrth ymgyrch gadwriaethol i'w hachub. Ai cerflun oedd hwn, felly, i'n hatgoffa ni nad ni yw unig ddeiliaid y patshyn hwn o'r ddaear, a bod gennym gyfrifoldeb i ymglywed ag ecoleg ehangach y fro?

Ond os yw'r ecoleg honno yn cynnwys bywyd gwyllt, siawns nad yw hi hefyd yn cynnwys yr iaith a fu ar dafod gwerin glannau Teifi ers mil a hanner o flynyddoedd a mwy. Ac i gadw'r iaith honno'n fyw, pwy a ŵyr na chaiff ei siaradwyr hi help llaw'r trigolion hynny sydd mor frwd dros ddiogelu'r amgylchedd ymhob ffordd arall? Byddai hynny'n newyddion da. Wedi'r cwbwl, mae'r dwrgwn yn dychwelyd i afon Teifi.

SHEARWATER
CA273
CA273
SHEARWATER

Croesi'r Afon

Gardd gwrw'r Grosvenor. Prynhawn dydd Sadwrn.
Haul annisgwyl.

Yr afon mor, mor hamddenol. A'r ochor draw mor,
mor agos.

Llyncu'r awyr iach a dy beint ar ei ben. Ac un arall.
Un arall 'to?

Pam lai. Dim gwaith fory. Dim plans heddi.

Mwgyn bach. Chwerthin. Teimlo'n jacôs.
Browlan. Bragian. Tynnu co's.

Tynnu'n gro's. Herio. Storis a stŵr.
'Os wy ti gystal nofiwr, croesa'r dŵr.'

Doeddet ti ddim. Gwnest ti ddim. Damo ti, grwt.

A dyna'r rheswm na alla i, hyd at y dydd heddi, groesi'r bont heb oedi hanner ffordd draw – fel yr oedaist ti yn y dŵr y prynhawn hwnnw – a dod wyneb yn wyneb â'r dwnshwn di-nod o byllau tro na ddeui di byth ohono.

Abergwaun
Fishguard
Aberystwyth
(A 487)
Canol y Dref
Town Centre
20

Y Castell

Brwydr rhwng dwy 'ffaith' yw hi yn y bôn:

A 'Yn ei anterth, y pedwerydd porthladd prysuraf yng ngwledydd Prydain.' (Ar ôl Llundain, Lerpwl a Bryste. Ond, yn bwysicach na hynny, ymhell o flaen Abertawe a Chaerdydd.)

a

B 'Yng nghastell Aberteifi ym 1176, cynhaliodd yr Arglwydd Rhys yr eisteddfod gyntaf erioed.' (Enghraifft ganoloesol o *soft power*: defnyddio diwylliant fel esgus ar gyfer dangos i bawb drwy'r wlad, a thu hwnt, gadernid ei gastell cerrig newydd sbon, y cyntaf i'w godi gan Gymro.)

Beth yw cyfraniad pwysicaf Aberteifi i'r byd? Cwestiwn rhethregol, mae'n siŵr, yn hytrach na chwestiwn cwis. Ond, er chwaraeaeth, sgwn i beth fyddai ateb Aberteifi ei hun i'r cwestiwn? Beth am ymweld â'r castell ar ei newydd wedd, a holi yn y fan honno?

> Daear wast mwy yw'r castell;
> o'i rwysg gynt nid erys cell.

Dyna ddywedodd Dic Jones, Hendre, Blaenannerch, y ffermwr cyntaf i'w ethol yn Archdderwydd Cymru. A hyd at 2015, pan agorodd y castell i'r cyhoedd wedi gwaith ymgyrchu gwirfoddol a gwaith ariannu cyhoeddus, roedd geiriau Dic yn llygad eu lle. Roedd y safle wedi mynd â'i phen iddi, y waliau allanol yn fregus, Castle Green House (oedd yn cynnwys un o dyrau'r castell canoloesol) yn dadfeilio a'r gerddi'n goedwig wyllt.

Gwnaed gwyrthiau gyda'r gwaith o adfer y safle, ac mae diolchgarwch y dre i'r sawl a aeth ynghyd â'r cwbwl yn fawr. Ond ai castell yr Arglwydd Rhys, Tywysog Deheubarth, yw Castell Aberteifi erbyn hyn, neu un David Davies, Castle Green House?

Perchennog tir a llongau a busnesau morwrol oedd David Davies ac iddo ef (a'i dad o'i flaen) oedd y diolch fod porthladd Aberteifi yn ei anterth yn hanner cyntaf y bedwaredd ganrif ar bymtheg. Prynodd Castle Green House ym 1840 a chafodd dŷ oedd yn deilwng o'i gyfoeth ac o'i statws fel Uchel Siryf Sir Aberteifi. Ac o'r tŷ hwn, cadwai lygad barcud ar fynd a dod y dre, y bont a'r afon, pob warws, pob cei, pob cwch bob cam i'r Netpool. Ac o'r glannau hyn y cyrhaeddai ei longau bedwar ban byd. Meistr llwyddiannus. Gwas yr ymerodraeth. Dyn a siaradai iaith ryngwladol arian yn rhugl. Gwnaeth gyfraniad mawr. Ond nid yw hanes y byd yn brin o'i siort ef.

Roedd yr Arglwydd Rhys hefyd yn feistr llwyddiannus ond ei iaith ryngwladol ef oedd rhyfel a diplomyddiaeth. Nid yw hanes yn brin o'i siort ef, chwaith. Ond, o fwriad neu beidio, dim ond ef a'i gastell yn Aberteifi a all frolio iddyn nhw roi i'r byd y cysyniad o eisteddfod, sef gŵyl ddiwylliannol sy'n tynnu pobol ynghyd – yn gymunedol, yn genedlaethol ac yn rhyngwladol; gŵyl sy'n rhoi bri ar gymryd rhan ac ar ragoriaeth, ac ar gymdeithasu hefyd; gŵyl sy'n dathlu'r pethau gorau.

A neu B, felly? Porthladd David Davies neu Eisteddfod yr Arglwydd Rhys? Pleidleisiwch nawr.

20
FFORE
RIVERS EDGE
PIZZA
BAR

20
GIVE
WAY

el glaw hallt, fel awel glyd, fel hiraeth, fel y wawr a'r machlud,

Y Cei

MYND AC AROS

I Nodi Daucanmlwyddiant yr Ymfudo i Ogledd America ar yr Albion, 11eg o Ebrill, 1819

I'r rhai sy'n mentro'r ewyn i'r man draw,
mae 'na dref a thyddyn
a chapel rhag y gelyn –
man go iawn yw eu man gwyn.

Yno, yng ngwlad y cynnydd, mor rugl
yw'r Gymraeg o'r newydd,
ac mor wir yw'r Gymru rydd,
mor wir â Môr Iwerydd.

Encil yw'r tonnau milain a'r glaw hallt
rhag eu gwlad eu hunain,
ac, er uched y sgrechain,
haws brwydro'r môr na'r byw main.

Haws herio'i wynt na'r sarhad yn eu sir;
haws hiraeth na'r teimlad
eu bod nhw'n ddynion dŵad,
gelynion, glei, yn eu gwlad

nhw eu hunain, fel ninnau sydd ar ôl,
sydd â'r un gofidiau
am gefn gwlad â'n cyndadau,
am golli'r tir a'r to iau.

Ac o hyd, ar fin gadel, ar ein cei
mae'r un cwch anochel
yn ein temtio eto i hel
rhyw gei aur ar y gorwel.

A'r llanw'n troelli heno, y lle hwn
yw'n lle, doed a ddelo,
ac o lannau brau ein bro
na foed i ni ymfudo.

Eben's Lane: Porth i'r Isfyd

Ydych chi'n ddigon dewr i fentro i Eben's Lane?

Dyma'r lôn gul sy'n agor gyferbyn â'r Black Lion Mews ar High Street ac sydd heddiw'n gwahanu adeilad yr HSBC a safle'r Smallholding Centre. Mae'n amhosib mentro iddi heb sylwi'n gynta ar y plac 'Er Mwyn Cymru' sy'n anrhydeddu Telynog ac Ossian Dyfed, dau o enwogion yr eisteddfod a'r pulpud yn Oes Fictoria, dau a aned yn Aberteifi. Ond twyll yw hynny, oherwydd nid lôn yr eisteddfod na'r pulpud yw hon o bethau'r byd.

Yn hytrach, mae Eben's Lane yn eich arwain chi i o stŵr a sglein y stryd fawr at ardal lwyd yr olwg nad yw ar restr fwced yr ymwelwyr.

Ar un ystyr, porth i oes arall yw Lôn Eben, ffordd o gyrraedd rhywle nad yw yno. A siwrne fer yw honno i waelod y rhiw lle mae'r dewis yn hawdd: mae awyr iach y cei i'r chwith, ac i'r dde... Wel, er nad oes arwydd i ddangos hynny, dyma drothwy ardal y Mwldan.

Ar yr hen fapiau, mae'r ardal yn rhannu'n dair, sef Mwldan Isaf, Mwldan Ganol a Mwldan Uchaf, ar hyd y ffordd sy'n rhedeg islaw – ac o olwg – y stryd fawr. Mae hefyd yn cyd-redeg ag afon Mwldan, chwaer fach lai ffodus afon Teifi.

Slawer dydd, y Mwldan oedd ardal y tlodion, ardal a oedd yn gyfystyr â phob math o ddiffyg – yn enwedig Mwldan Uchaf a'r slymiau y mae sôn o hyd am eu 'clirio' ym 1937. Cysylltid yr ardal hefyd â phob math o drosedd a rhemp. Yn wir, yn oes Fictoria, er enghraifft, yr oedd rhai o drigolion y Mwldan ymysg enwau mwyaf adnabyddus adroddiadau llys y wasg Gymreig.

Beth sydd hefyd yn dod i'r amlwg o bapurau'r cyfnod hwnnw yw nad oedd modd i bobol barchus a bras y dre anwybyddu ffieidd-dra amodau byw nifer o bobol y Mwldan. A hynny oherwydd nad oedd modd i neb yn y dre osgoi clywed y drewdod a ddeuai o afon Mwldan ei hun yn yr oes honno.

Ac os oedd y bai yn cael ei fwrw ar y trigolion, roedd cwyno'n aml hefyd fod dŵr afon Mwldan yn cael ei lygru gan rai o arferion amheus y lladd-dy cyfagos, y lladd-dy sydd erbyn heddiw yn gartre glanwaith i Theatr Mwldan.

Diflannodd ardal ddifreintiedig y Mwldan. Nid felly'r difreintiedig. Rhywle, rhwng craciau'r pafin, rhwng y môr a'r afon, rhwng y cŵn a'r brain, maen nhw yma o hyd, yn blant y dre a phobol ddŵad, fel ei gilydd.

Ond, yn stŵr a sglein y dre heddiw, go brin y gwnewch chi eu gweld nhw – na'u clywed, chwaith.

MWLDAN
Sinema Cinema
Perfformiad Performance
Oriel Gallery
Café & Bar
MWLDAN
ORIAU AGOR
OPENING TIMES
CLOSED
AR GAU

Y Guild Hall a'r Gynnau Mawrion

Trizaro
DRAGONS
WINE BAR
BT Sport
Unffordd
One way

'You don't want to become one of the cannon shiners, do you, boy?'

Roedd clywed y cwestiwn hwnnw gan un o athrawon Ysgol Uwchradd Aberteifi gystal â'r rhybudd addysgol olaf. Cyfieithiad bras ohono oedd 'Tynn dy fys mas, y pwdryn, neu rwyt ti'n mynd i fethu dy arholiadau'.

Pwy, felly, oedd y *cannon shiners* hyn?

Nhw oedd y bobol ifainc a fyddai, yng ngolau dydd, yn crynhoi o gwmpas y canon a safai wrth ymyl grisiau'r Guild Hall ar groesffordd High Street, Priory Street a College Row. Eu braint nhw oedd cnoi gwm a gwylio prysurdeb y dre yn mynd y ffordd arall heibio iddyn nhw. Neu gael clonc a mwgyn. Neu wneud dim byd oll.

Byddai rhai ohonyn nhw'n pwyso ar y gwn mawr hwnnw. Eraill yn bwyta'u sglodion-mewn-papur-newydd oddi arno. Llond dwrn ohonyn nhw wedyn yn ei addurno gyda'u gwaith celf byrfyfyr neu eu henwau.

Ond byddai un neu ddau hefyd wastad yn eistedd ar ei ben e, â'u coesau bob o ochr i'r baril. A thinau eu trowsusau nhw fyddai'n rhoi, felly, y cyfryw sglein i'r cyfryw ganon.

Pwy feddyliai y byddai'r peiriant difa hwn yn cynnig y fath gynhaliaeth i ieuenctid segur Aberteifi? Ac y byddai'r rheini mor awyddus i roi'r fath raen arno, a hynny dros ganrif a hanner ers iddo danio mor ddychrynllyd ar faes y gad. Oherwydd, ie, canon go iawn oedd hwn.

Un o fagnelau byddin imperialaidd Rwsia ydoedd, un a saethodd i lygaid y Light Brigade yn ystod eu cyrch ym Malaclafa yn Hydref 1854. Cafodd ei ddwgyd gan fyddin Prydain wedi'r gyflafan (fel swfenîr?) cyn cael ei gyflwyno ym 1857 i Aberteifi, i anrhydeddu aberth meibion y dre yn rhyfel y Crimea. Am anrheg ystyriol...

Ac mae yno o hyd. Yn wir, ers 2004, diolch i Gyngor y Dref, mae plac arno i goffáu'r cyrch enwog hwn yn enw'r ymerodraeth Brydeinig, cyrch sy'n gyfystyr erbyn hyn â gwallgofrwydd rhyfel a gwagedd ymffrost ymerodraeth.

Nid bod gwallgofrwydd y naill na gwagedd y llall wedi bod yn rhwystr erioed. Tra bo'r dynion mawr yn gwybod bod modd hel y dynion bach i wneud y gwaith, ni fydd yn rhwystr, chwaith.

> 'Braint yw sgleinio'r canon ganwaith,
> mwy o fraint ei borthi unwaith...'

18802

P WC
Dysgwch Cymraeg gyda ni
Learn Welsh with us
MARCHNAD DAN DO
ABERTEIFI
CARDIGAN
INDOOR MARKET

CRWST
20
CRWST
OFFICES
TO LET
FFORDD
YMLAEN
AR GAU
ROAD AHEAD
CLOSED

Queen's Bakery

QUEEN'S BAKERY

‘Day-o. Me say day. Me say day. Me say day-ay-ay-o.’

Y ‘Banana Boat Song’ oedd ei *party piece* e. A doedd dim gwahaniaeth pa mor hwyrol oedd yr awr, roedd e wastad yn ei chanu gydag arddeliad, yn ddireidus soniarus ac mewn tiwn. A gorau oll os oedd ganddo gorws o gyfeillion o’i gwmpas, er mwyn troi’r gytgan yn gynghanedd.

‘Day-o. Day-o. Daylight come and I wanna go home.’

Bu cyfnod Covid-19 yn gyfnod o golledion enbyd. Ac mae’n debyg ei bod hi’n rhy gynnar i neb wneud pen a chwt ohono. Ond fe fydd gennym oll ein hatgofion personol – a’n dehongliad personol – o’r misoedd na welodd neb mo’u tebyg nhw.

‘There was a highly deadly black tarantula…’

Fe gollodd tref Aberteifi un o’i chymeriadau mwyaf yn ystod y cyfnod hwn: Martin Radley. Pobydd. Gŵr busnes. Perfformiwr. Cymdeithaswr. Cymwynaswr. Ef a’i chwaer Monica oedd cyd-berchnogion Queen’s Bakery ar y stryd fawr ym Mhendre, fel y bu eu rhieni, Ivor ac Eirian, o’u blaenau. Pobol Aberteifi i’r carn.

Rhyw lyfr o lefydd yw hwn i fod, y llefydd sy’n para’n ddigyfnewid, ni waeth beth y newidiadau arwynebol. Ond mewn tref, y mae’r llefydd a’r bobol yn un, glei. Nid oes y naill heb y llall. Ac mae ’na lefydd yn Aberteifi fydd yn llefydd dieithr iawn am nad yw Martin yno mwy.

Yn Queens, lle mae ffwrn y co’ yn gynnes
a’r gân yn atseinio,
dwed y dref, â’r byd ar dro,
‘Nos da’ it, Radders. Day-o.

HOT & COLD
QUEEN'S BAKERY
CADWCH EICH PELLTER
2m
OS GWELWCH YN DDA

Festri Tabernacl: Garej Paradwys

Dreams
Dance School
07870 474197
NO PARKING
GARAGE IN USE

Stiwdio'r Methodist ydoedd, ond drwy'r amps
a'r drwms, clywai'r cyhoedd
mai *new wave*, nid emyn, oedd,
new wave yn iaith y nefoedd.

Beth yw cyfraniad festri capel Tabernacl, Aberteifi, i fywyd diwylliannol y Gymru gyfoes?

Gall Capel Mair frolio ei fod e'n gartre i gôr meibion Ar Ôl Tri. Gall Bethania dystio iddo gynnig lloches dros dro i gôr cymysg Cantorion Teifi. Ond Tabernacl?

Simples, chwedl Williams Pantycelyn.

Ail Symudiad.

Mae'n wir bod cwmni Opera Teifi wedi gwneud defnydd helaeth o'r festri dros y blynyddoedd. Mae'n wir bod Aelwyd Aberteifi wedi cwrdd yno yn ystod ei hoes fer. (Pwy all anghofio'r gemau pêl-droed islaw'r festri ar faes parcio Sgwâr Greenfield yn nhywyllwch nos Wener, a thorri syched gyda chaniau mentrus o Lemonade Shandy a Limeade and Lager o Fine Fare neu International? Wel, ychydig iawn ohonom, a dweud y gwir.)

Ond, 'nôl ym 1979, a hwythau'n paratoi ar gyfer eu gig go iawn cyntaf un (Mart Aberteifi, Dydd Sadwrn Barlys), festri Tabernacl oedd stafell ymarfer Ail Symudiad, y band o Tenby Road a ddeuai, dros y degawdau nesaf, yn eiconau'r sîn bop Gymraeg.

Ym mis Gorffennaf 2019, yn ystod seremoni gyhoeddi Eisteddfod Genedlaethol Ceredigion ar gaeau'r ysgol uwchradd, daeth cadarnhad swyddogol o'u statws mytholegol pan berfformiodd Richard a Wyn, y Brodyr Fflach, ar y Maen Llog ei hun, y grŵp pop cyntaf i wneud hynny erioed.

Ail Symudiad, *house band* Gorsedd y Beirdd.

Parc y Netpool

I'r sawl sy'n dymuno hynny, mi all twll o le fod yn baradwys.

Nid bod y man hwn yn dwll, chwaith. Ar silff o dir uwchlaw'r afon, ei borfa'n las a'i goed yn gysgod, fel 'pleserdir' y bwriadwyd parc y Netpool o'r cychwyn. Yn wir, yn ôl y *Welsh Gazette* ym 1901, 'the Netpool is to the old county town what the Promenade is to Aberystwyth.'

Cewch ddod ato ar droed o'r dre, naill ai drwy faes parcio Stryd y Cei (heibio i'r cwch sydd hefyd yn fwyty Indiaidd) neu wrth groesi'r bont ym Mwldan Ganol. I yrru ato, bydd rhaid dringo Greenfield Row, cyn troi i'r chwith wrth arwydd Maes Radley ac i gyfeiriad mynwent y dre. Does dim dewis wedyn ond dilyn yr hewl i'r dde.

Ac wedi'r holl ymdrech i'w gyrraedd, dyma i chi barc chwarae'r Netpool. Impresd? Na? Pam, beth welwch chi?

'Bandstand. Cylch o gerrig. Sedd neu ddwy. A dim byd i'r plant: dim ffrâm ddringo, dim siglen, dim sleid. Dim.'

Beth? Welwch chi ddim asennau glân y sgwner ar ei hanner ar yr iard, a'i hadeiladwyr garw wrth eu gwaith? Glywch chi ddim atsain morthwylion y seiri, a'u llifiau'n gwichian ar y gwynt? Wyddoch chi ddim taw yn Netpool Bach y ganed y bardd Telynog, yn fab i saer llong – nid ym 1840, fel y mae'r plac yn Eben's Lane yn honni, ond ym 1839? Na?

Glywch chi wynt llosgi delw'r Arlywydd Kruger wrth y stanc, ar ôl ei orymdeithio drwy'r dre i gyfeiliant y pibau a'r drymiau, y noson y cyhoeddwyd fod Mafeking wedi'i rhyddhau? Glywch chi glecian tân gwyllt yn dathlu priodas Lawrence Jenkins Cilbronnau 'with Miss Kennedy, of London'?

Beth am garnau ceffylau Sioe Aberteifi? Neu rythmau rhwyfau'r Regatta? Neu bêl denis ar dannau tynn? Na?

Gwrandewch. Dyna weinidog Bethania a llawenydd pedwar-llais y lan yn cyhoeddi bedydd arall yn afon Teifi, heb ofni iasau Ionawr na'r cerrig beddau dafliad carreg i ffwrdd. Gwrandewch eto. Dyna gordiau 'Amen' y corau mawr yn llenwi pabell yr Ŵyl Fawr ar gaeau fferm Dolwerdd – a llenwi tafarndai'r dre.

Clywch hefyd leisiau'r rhai bach, oherwydd, do, fe fu yma, hyd yn ddiweddar iawn, ffrâm ddringo, siglen a sleid – cyn i'r rheini droi'n encil i ddrygioni plant hŷn yr hwyr, â'u mwg a'u poteli a'u hawydd i ddinistrio hyd yn oed eu hafan nhw eu hunain.

Clustfeiniwch am y tro ola. Yma'n cyflymu'n ddistaw bach, clywch guriad calon y cariadon sy'n dod i gadw oed.

Mae'r cwbwl yn cwato ym mharc y Netpool, yn swil, fel y gusan gynta.

Netpool i Nantyferwig

CLAAS
LEXION
420

Profiad anghysurus yw bod ar goll yn bell o gartre. Mwy pryfoclyd, serch hynny, yw bod ar goll ar garreg y drws.

Mae'r ffin rhwng y dre a'r wlad yn un denau iawn yn Aberteifi. Ac un o'r mannau lle mae'r naill yn ymdoddi i'r llall yw ar y llwybr sy'n pasio heibio i lanfa'r Netpool. Ganllath i lawr y lôn tua'r gorllewin, wele orsaf trin carthffosiaeth. Ac yn union wedi hynny, gaeau amaethyddol.

A dyma lle mae'r dewis yn un difyr.

Syth ymlaen ac mae'r afon yn dechrau ystumio i'r dde er mwyn troi'r gornel ola ar ei thaith tua'r aber. Ar y pentir, yng nghesail yr ystum, mae safle Din Geraint, hen gastell mwnt a beili a godwyd gan y Normaniaid ym 1093. Ceisiodd byddin Gruffudd ap Rhys ac Owain Gwynedd eu hel nhw oddi yno ym 1138, a hynny, yn ôl John Edward Lloyd, 'gyda chymorth llongau rhyfel Danaidd'. A'u gwobr gysur nhw am fethiant eu hymgyrch? 'Beth am fynd i Landoch...' Dyma nhw'n croesi afon Teifi i'r pentre hyfryd hwnnw, er mwyn ysbeilio abaty mynachod Tiron yn rhacs.

(Heibio i'r hen gastell, gyda llaw, ymhellach rownd y gornel, mae Parc y Fferi; ochor draw yr afon i hwnnw wedyn, mae tafarn y Fferi, sy'n awgrymu bod cyfnodau o ymwneud mwy cymodlon ac adeiladol wedi bod rhwng Aberteifi a Llandudoch ers 1138.)

Ta waeth, y dewis arall wedi pasio'r orsaf drin yw i droi i'r dde yn syth, a chroesi perci fferm Trebared (a lôn fferm yr Hen Gastell) gan ddilyn y llwybr swyddogol ar draws gwlad. Ac ar y llwybr hwn, mae sôn i grwt o'r dre, wrth iddo ddilyn ei drwyn drwy fwlch a chlawdd a chewri *maize* mis Medi, golli ei ffordd lai na hanner milltir o'i gartref ef ei hun. Â hi'n nosi, ac yntau heb ei ffôn, lwc, yn hytrach na greddf neu synnwyr cyffredin, a'i arweiniodd yn ddiogel i ben ei daith.

Nantyferwig â'i hiard gychod yw pen y daith honno, lle mae llwybr yr arfordir yn ymuno â throedffordd y B4548. Ac ar hyd y ffordd honno tuag at drwyn Pen yr Ergyd ('Patch' ar lafar gwlad), mae cwmni aber afon Teifi, ni waeth beth fo'r tymor neu'r tywydd, yn gwneud yn iawn am bob un helbul ar y daith.

TYG

'I'r Tai yng nghwr y Tywyn'

‘Pwy fynd dramor â golygfeydd fel hyn ar garreg y drws?’

Sgwn i ai dyna ddywedodd Gwilym ab Einion Fawr wrth iddo godi plas y Tywyn ar ddechrau’r bedwaredd ganrif ar ddeg? Synnen i fochyn. Roedd e newydd ddychwelyd o Ffrainc, wedi’r cwbwl, lle bu’n ymladd ym myddin brenin Lloegr, a’r wobr a gafodd am ei deyrngarwch dros y dŵr oedd cael bod yn gwnstabl castell Aberteifi.

Er mor braf oedd cael pip ar Landudoch a Sir Benfro o dyrau’r castell, gwyddai Gwilym fod golygfeydd gwell ar dir y Tywyn, tua’r môr yng nghwmwd Gwestfa Ferwig, rhyw bedair milltir i’r gogledd-orllewin o’r castell, yn yr ardal a elwir heddiw yn Gwbert. O’r fan honno, roedd modd gweld Ynys Aberteifi a Phen Cemaes, heb sôn am ddwy lan aber afon Teifi. Ac mae modd gwneud hynny o hyd.

Mae enw’r Tywyn yno o hyd hefyd: mae’r Towyn Farmhouse sy’n rhan o fenter Gwbert Cottages yn dal yn eiddo i’r teulu olaf i ffermio’r tir hwn. Ond er y graen ar y bythynnod, fel ar westai’r Cliff a’r Gwbert islaw, pa fath o *rating* fydden nhw wedi’i gael gan Dafydd Nanmor, yn enwedig o’i gymharu â’r un gafodd Rhys ap Maredudd, Arglwydd y Tywyn, ganddo?

Yn y bymthegfed ganrif, roedd gwres croeso plas y Tywyn, ynghyd â haelioni ei wleddoedd, yn cael ei ystyried gyda'r gorau yn unman, y gorau erioed, hyd yn oed. Mae'r dystiolaeth ar glawr mewn du a gwyn, a hynny ar ffurf cerdd sy'n darllen fel yr adolygiad Trip Advisor mwya gloyw ohonyn nhw i gyd. Yn wir, mae'n disgrifio Rhys o'r Tywyn fel 'Gorau perchen ... tŷ o Adda hyd heddiw'. (Am yr adolygiad yn llawn, trowch at yr *Oxford Book of Welsh Verse*.)

Ar adeg pan oedd beirdd yn gorfod crwydro'r wlad i hel eu tamaid o dŷ mawr i dŷ mawr, y ganmoliaeth fwya i'r Tywyn (ac i ddawn y bardd yntau) yw'r ffaith fod Dafydd Nanmor wedi para i ddod 'nôl i'r tŷ hwn, gan ganu cerddi i dair cenhedlaeth o'r teulu.

Ond peidiwch â chymryd gair Dafydd Nanmor yn unig, oherwydd roedd bardd arall o'r cyfnod, sef Lewys Glyn Cothi, hefyd yn ffan:

> Troi i frig y Ferwig a fyn y treiglwyr
> At arglwydd y Tywyn...

O.N. *Roedd gan Gwilym ab Einion Fawr fab o'r enw Gwilym. A wyddoch chi pwy oedd mab neu 'ap' hwnnw? Wel, Dafydd ap Gwilym. Ie,* y *Dafydd ap Gwilym. Roedd un o feirdd mwya Ewrop erioed, felly, yn ŵyr i gastell Aberteifi.*

Galw yn Aberteifi ac Aberteifi'n Galw

jackie
cleo
cleo
CORAL
TO LET
PEACOCKS
20

A garet ti alw, grwt o Welwyn,
i weld y dre rhwng y wlad a'r ewyn
a rhedeg eilwaith, dan draed y gelyn,
ar hyd pob stryd fesul stori wedyn,
ar hyd y gwair du a gwyn, a'r caeau
chwarae lle bo'r gemau'n oedfa gymun?

A garet ti agor yr iet, hogyn,
i barc y plant drwg a rhannu mwgyn
ei feinciau caru? Neu i Fanc y Warin
â'i Bwyll a'i ryfel? Neu i'r cei hirfelyn?
Neu'r iet lwyd i'r mart ola un, lle bo
crescendo'r bidio fel su gwybedyn?

A garet glywed, drwy'r trash a'r rhedyn,
angylion y *dingle* yn dweud eu henglyn,
sgleinwyr y magnel yn canu'r delyn
a Patch, yn un haid, yn pitsho nodyn?
Tafodiaith Teifi wedyn, fwy neu lai,
yn angor i'r tai yng nghwr y Tywyn?

Ein broc yw'r storïau a'r enwau hyn,
broc sy'n gwareiddio bricsen a gwreiddyn,
ac wedi'u clywed, pe gwyddet wedyn
eu bod nhw'n byrth i'n byd ni o berthyn,
yma celet, am ryw getyn, fan clyd
i fagu dy deulu, dad o Welwyn.

DEWI JAMES a'i Gwmni
WMNI
NELSON'S